PROBLEM SOLVING

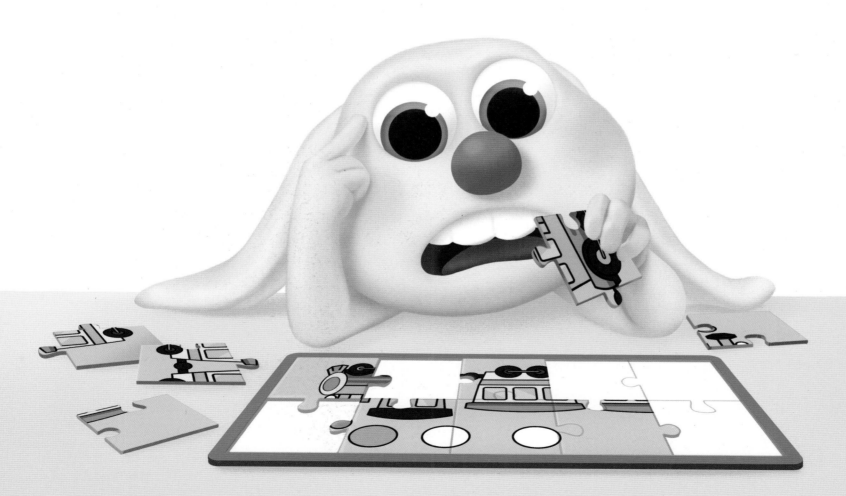

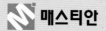 매스티안

팩토슐레 Math Lv. 2 교재 소개

" 우리 아이 첫 수학도 창의력을 키우는 FACTO와 함께! "

● **팩토슐레**는 처음 수학을 시작하는 유아를 위한 창의사고력 전문 프로그램입니다.

● **팩토슐레**는 만들기, 게임, 색칠하기, 붙임딱지 붙이기 등의 다양한 수학 활동을
  하면서 스스로 수학 개념을 알 수 있도록 구성하였습니다.

수 (NUMBERS)
도형 (SHAPES)
측정 (MEASUREMENT)
규칙 (PATTERNS)
연산 (OPERATIONS)
문제해결력 (PROBLEM SOLVING)

※팩토슐레는 6권으로 구성되어 있으며, 각 권에는 30가
지의 재미있는 활동이 수록되어 있습니다.

누리과정

팩토슐레는 누리과정 · 초등수학과정을 연계하여 수학의 5대 영역
(수와 연산, 공간과 도형, 측정, 규칙, 문제해결력)을 균형 있게
학습할 수 있도록 하였습니다.
특히 가장 중요한 수와 연산은 각 권으로 구성하여 깊이 있는 학습이
가능하도록 하였습니다.

STEAM PLAY MATH

팩토슐레는 4, 5, 6세 연령별로 학습할 수 있도록 설계한 놀이
수학입니다.
매일매일 놀이하듯 자르고, 붙이고, 색칠하는 30가지의 재미있는
활동을 통해 창의사고력을 기를 수 있습니다.

동화책풍의 친근한 그림

팩토슐레는 동화책풍의 그림들을 수록하여 아이들이 수학을 더욱
친근하게 느끼며 좋아할 수 있도록 하였습니다. 또한 한글을 최소
화하고 학습 내용을 직관적으로 이해할 수 있도록 하였습니다.

팩토슐레 Math Lv. ❷ 교구·App 소개

" 수학 교육 분야 증강현실(AR)과 사물인식(OR) 기술을 국내 최초 도입 "

교구를 활용한 App 학습 프로세스

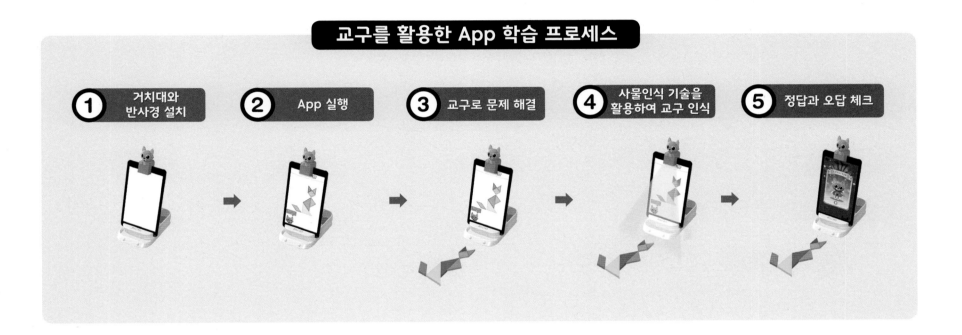

① 거치대와 반사경 설치 ② App 실행 ③ 교구로 문제 해결 ④ 사물인식 기술을 활용하여 교구 인식 ⑤ 정답과 오답 체크

자기주도학습 팩토슐레 App만의 장점

팩토슐레 App은 사물인식(OR) 기술을 사용하여 아이들의 학습 정보를 습득한 후, App에 프로그래밍된 학습도우미를 통하여 아이들이 문제 푸는 것을 힘들어하거나 틀릴 경우에는 힌트를 제공합니다.
이와 같은 방식의 스마트기기와의 상호작용은 학습의 효율을 높이고 자기주도학습 능력을 길러 줍니다.

완벽한 학습 설계 App 다른 교육 App과의 차별점

팩토슐레 App은 수학 교육 목표에 맞게 완벽한 학습 설계가 되어 있습니다. 아이들은 게임 기반의 학습 App을 진행하면서 어려운 문제도 술술 풀 수 있습니다.

증강현실(AR) 기술 도입

팩토슐레 App은 아이들이 캐릭터와 사진도 찍고, 자신이 그린 그림으로 자기만의 쿠키도 만들면서 학습 몰입도를 높일 수 있습니다.

01 친구들이 바닷가에 왔어요. 자세히 보니 이상한 부분이 있네요! **이상한 부분 5군데를 찾아** ○표 하고, 왜 이상한지 이야기해 보세요.

주어진 상황을 이해하고 그 안에서 일어날 수 있는 일과 일어날 수 없는 일을 구분하는 활동을 통해 논리력과 집중력을 기를 수 있습니다.

02 친구들이 화단에 물을 주고 있어요. 어떤 호스로 물을 주고 있을까요? 호스를 따라 물이 흘러가는 길을 찾아보세요.

호스를 따라 물이 흐러가는 길을 찾는 활동을 통해 집중력을 기를 수 있습니다.

03 친구들이 **봄, 여름, 가을, 겨울** 그림을 보고 있어요. 그림 아래 떨어진 조각들을 **계절에 맞게 붙여** 보세요. 붙임딱지 ①

봄

여름

붙임딱지 붙이는 곳

붙임딱지 붙이는 곳

붙임딱지 붙이는 곳

붙임딱지 붙이는 곳

붙임딱지 붙이는 곳

붙임딱지 붙이는 곳

가을

붙임딱지
붙이는 곳

붙임딱지
붙이는 곳

붙임딱지
붙이는 곳

겨울

붙임딱지
붙이는 곳

붙임딱지
붙이는 곳

붙임딱지
붙이는 곳

여러 가지 그림이 있어요. **어떤 그림이 있는지** 이야기해 보고, 엄마와 함께 **카드 놀이**를 해 보세요.

다람쥐	포도	샌드위치	돼지
자동차	물고기	책	나무
레몬	자전거	축구공	병아리
원숭이	고래	꽃	비행기
딸기	연필	펭귄	배

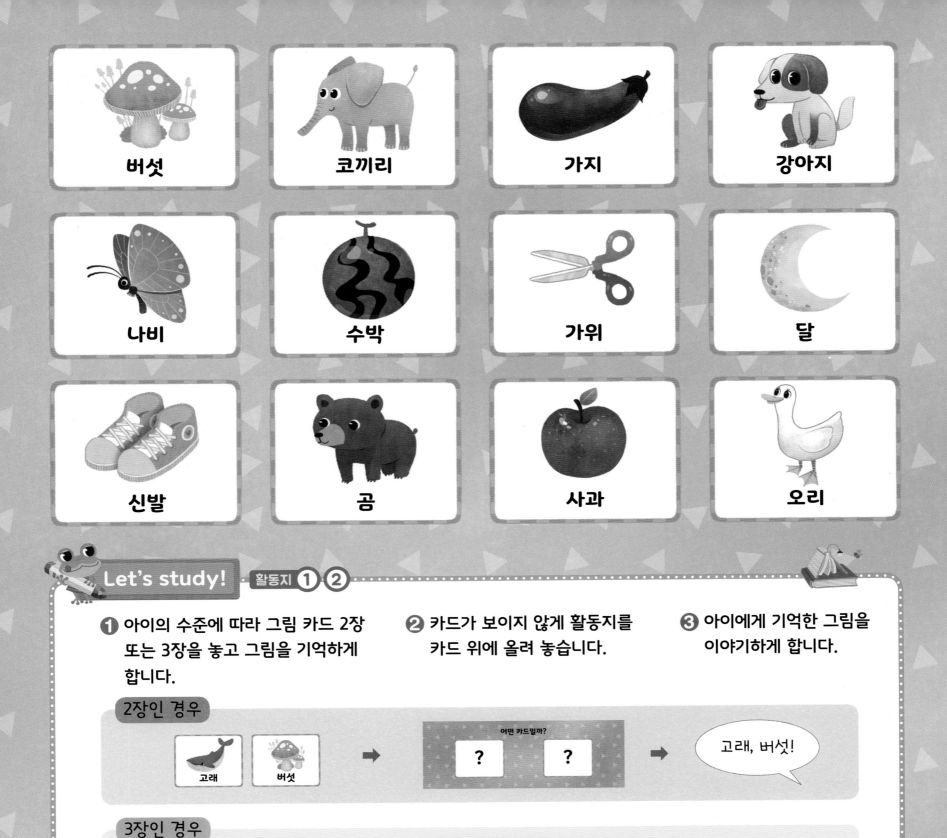

버섯	코끼리	가지	강아지
나비	수박	가위	달
신발	곰	사과	오리

Let's study! · 활동지 ① ②

❶ 아이의 수준에 따라 그림 카드 2장 또는 3장을 놓고 그림을 기억하게 합니다.

❷ 카드가 보이지 않게 활동지를 카드 위에 올려 놓습니다.

❸ 아이에게 기억한 그림을 이야기하게 합니다.

2장인 경우

고래 버섯 → 어떤 카드일까? ? ? → 고래, 버섯!

3장인 경우

원숭이 책 사과 → 어떤 카드일까? ? ? ? → 원숭이, 책, 사과!

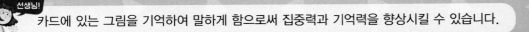

엄마는 선생님! 카드에 있는 그림을 기억하여 말하게 함으로써 집중력과 기억력을 향상시킬 수 있습니다.

산속에 있는 성을 지나 이웃 동네에 가려고 해요. 어느 길로 가야 할까요? 선을 그어
이웃 동네에 가는 길을 찾아보세요.

출발

도착

엄마는 선생님!

갈림길에서 올바른 길을 선택하여 목적지까지 가는 활동을 통해 오류를 수정하며 논리적으로 생각할 수 있게 됩니다.

친구들이 가족과 찍은 사진을 붙여 놓았네요. 친구들은 **무엇을 했을까요?** 사진을 보고 이야기해 보세요.

1

2

3

4

친구들이 놀이동산에 놀러 왔어요. 바이킹을 타려면 **길을 모두 지나**야 해요. 바이킹을 탈 수 있도록 길을 붙여 보세요. 활동지 ④

활동지
붙이는 곳

활동지
붙이는 곳

활동지
붙이는 곳

길이 연결되도록 조각을 놓는 활동을 통해 공간 감각을 향상시킬 수 있습니다.

여러 가지 그림이 그려진 퍼즐 조각들이 있어요. **서로 관계있는 그림 조각끼리** 맞추려고 해요.
빈 곳에 알맞은 퍼즐 조각을 붙여 보세요. 붙임딱지 ①

붙임딱지
붙이는 곳

붙임딱지
붙이는 곳

붙임딱지
붙이는 곳

붙임딱지
붙이는 곳

붙임딱지
붙이는 곳

누나가 정리해 놓은 투명 그림 카드를 동생이 어지럽혔어요. 그런데 **카드 2장이 보이지 않네요.** 없어진 카드를 찾아 ○표 해 보세요.

카드 1장이 어디로 갔지?

10 친구들의 한 일을 순서에 맞게 ◯ 안에 번호(1, 2, 3)를 쓰고, 어떤 일을 했는지 이야기해 보세요.

현수가 한 일

나리가 한 일

다양한 특징이 있는 도깨비 카드가 있어요. 도깨비 카드로 재미있는 놀이를 해 보세요.

❶ 도깨비 카드 18장을 뒷면이 보이게 잘 섞어 쌓아 놓습니다.

❷ 카드를 1장씩 뒤집어 놓으면서 먼저 뒤집은 카드와의 공통점(모자, 안경, 리본, 마스크)을 찾아 이야기
합니다. 이때 공통점이 없으면 새로운 카드를 뒤집어 놓습니다.

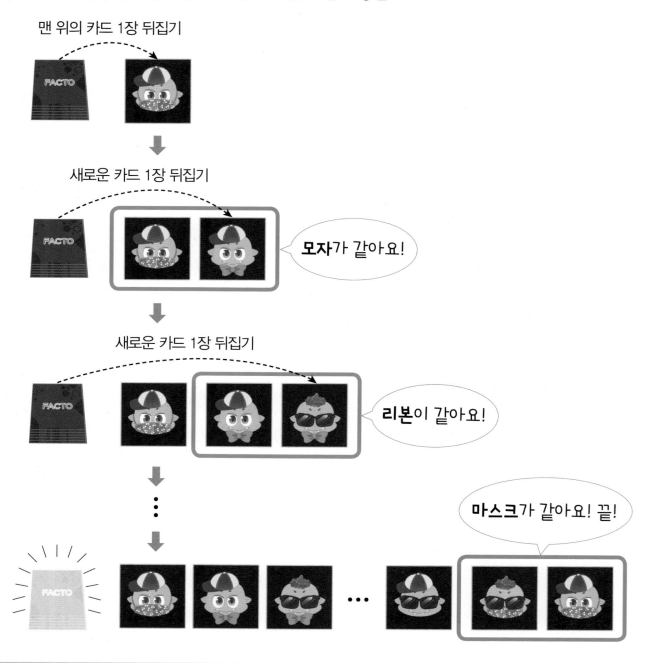

❶ 도깨비 카드 18장을 잘 섞어 9장씩 서로 나누어 가집니다.

❷ "시작"과 동시에 아래와 같이 모자, 안경, 리본 순으로 각각 3장씩 먼저 나열하는 사람이 승리합니다.

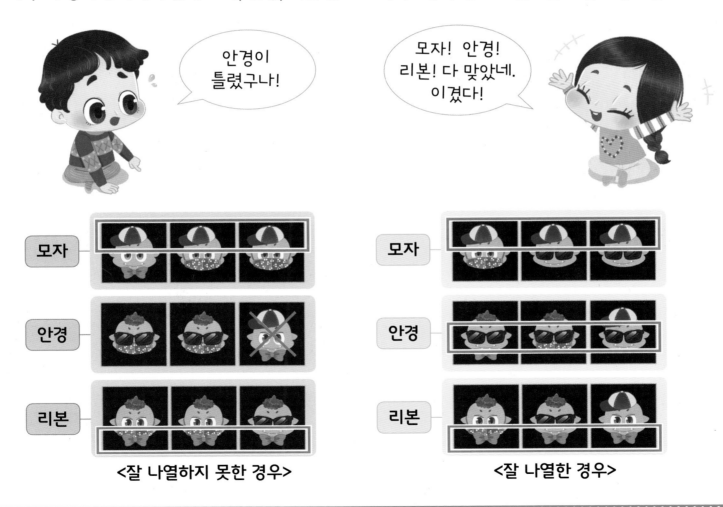

안경이 틀렸구나!

모자! 안경! 리본! 다 맞았네. 이겼다!

모자	모자
안경	안경
리본	리본
<잘 나열하지 못한 경우>	<잘 나열한 경우>

엄마는 선생님! 도깨비 그림의 공통점을 찾아 분류하는 활동을 통해 추론 능력과 정보 처리 능력을 기를 수 있습니다.

친구들이 동화책을 보고 있어요. **퍼즐 조각을 맞추어** 동화책 속 그림을 완성해 보세요.

13

액자 속에는 **어울리지 않는 그림이 1개씩** 있어요. 어떤 그림일까요?
친구들이 들고 있는 그림을 어울리지 않는 그림 위에 붙여 보세요. **붙임딱지 ①**

그림들 사이의 공통점을 찾는 활동을 통해 추론 능력과 정보 처리 능력을 기를 수 있습니다.

복잡한 도로의 모습이에요. 자세히 보니 이상한 부분이 있네요! **이상한 부분 5군데를 찾아** ○표 하고, 왜 이상한지 이야기해 보세요.

성을 구경하려고 해요. 어느 길로 가야 할까요? 길을 따라 **성 안을 구경하고 나오는 길을** 연결해 보세요.

출발

도착

갈림길에서 올바른 길을 선택하여 목적지까지 가는 활동을 통해 오류를 수정하며 논리적으로 생각할 수 있게 됩니다.

부모님과 함께 재활용 쓰레기를 버리려고 해요. 재활용 분리수거함은 **종이, 유리, 캔**으로 나누어져 있어요. 분리수거함에 알맞은 쓰레기를 붙여 보세요. 붙임딱지 ①

종이

유리

캔

붙임딱지
붙이는 곳

붙임딱지
붙이는 곳

붙임딱지
붙이는 곳

카드에는 어떤 모양, 어떤 색깔, 어떤 그림이 있는지 이야기해 보고, 게임을 해 보세요.

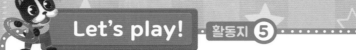

Let's play! · 활동지 ⑤

❶ 칩을 5개씩 나누어 가지고, 주사위 3개를 굴립니다.

❷ 주사위에 나온 3가지 속성을 모두 갖는 카드를 먼저 찾는 사람이 자신의 칩을 카드 위에 올립니다. 이때 칩이 놓여 있는 카드 위에도 또 올려놓을 수 있습니다.

❸ 5개의 칩을 먼저 올리는 사람이 승리합니다.

속성

| 모양 | 색깔 | 그림 |

예) 네모+파란색+개구리

18 친구들이 놀이공원에서 놀고 있어요. 자세히 보니 이상한 부분이 있네요! **이상한 부분 5군데**를 찾아 ○표 하고, 왜 이상한지 이야기해 보세요.

19 식탁 위에 여러 가지 음식이 있어요. **친구들이 이야기하는 음식을 붙여 보세요.** 붙임딱지 ②

영양가가 많아서 **몸을 튼튼하게**
만들어 주는 음식은 무엇일까?

붙임딱지 붙이는 곳	붙임딱지 붙이는 곳	붙임딱지 붙이는 곳
붙임딱지 붙이는 곳	붙임딱지 붙이는 곳	붙임딱지 붙이는 곳

이 음식들을 많이 먹으면
몸에 좋지 않아!

붙임딱지 붙이는 곳	붙임딱지 붙이는 곳	붙임딱지 붙이는 곳
붙임딱지 붙이는 곳	붙임딱지 붙이는 곳	붙임딱지 붙이는 곳

게시판에는 친구들이 좋아하는 동물 그림이 있어요. 그런데 **2명의 친구가 똑같이 좋아하는** 동물들도 있네요. 어떤 동물인지 모두 찾아 선을 그어 보세요.

우리가 좋아하는 동물

소윤

진아

현서

찬유

미영

지율

지훈

은우

친구들이 한 일을 **순서대로** 나타내려고 해요. ? 에 들어갈 알맞은 그림을 찾아 ○표 하세요.

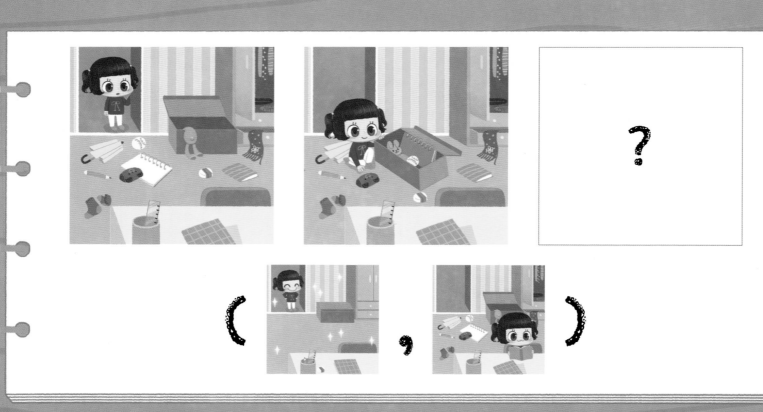

22 친구들이 보석을 찾으러 가려고 해요. **화살표의 방향에 따라 움직여** 3개의 보석을 먼저 찾는 사람이 승리하는 게임을 해 보세요.

Let's study! 활동지 ⑥

❶ 각자 게임판과 게임말을 정한 후 출발 칸에 각자의 게임말을 올려놓습니다. 번갈아 가며 주사위를 굴려 나오는 화살표 방향대로 자신의 게임말을 1칸 이동시킵니다.

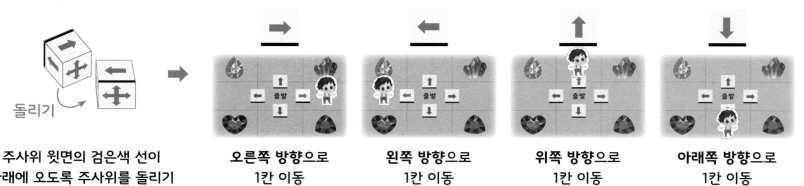

주사위 윗면의 검은색 선이
아래에 오도록 주사위를 돌리기

오른쪽 방향으로
1칸 이동

왼쪽 방향으로
1칸 이동

위쪽 방향으로
1칸 이동

아래쪽 방향으로
1칸 이동

게임판

↑

← 출발 →

↓

② 주사위에 가 나오면 어느 방향으로든 게임 말을 1칸 이동할 수 있습니다.

오른쪽, 왼쪽, 위쪽, 아래쪽 방향 중 1곳으로 1칸 이동

③ 게임말을 이동하여 보석이 있는 칸에 도착하면 그 보석에 ○표 합니다.

④ 게임말을 이동할 수 없는 경우에는 상대방에게 차례가 넘어갑니다.

아래쪽 방향으로 더이상 이동할 수 없으므로 상대방 차례로 넘어갑니다.

⑤ 먼저 다른 보석 3개에 ○표 한 사람이 승리합니다.

게임판

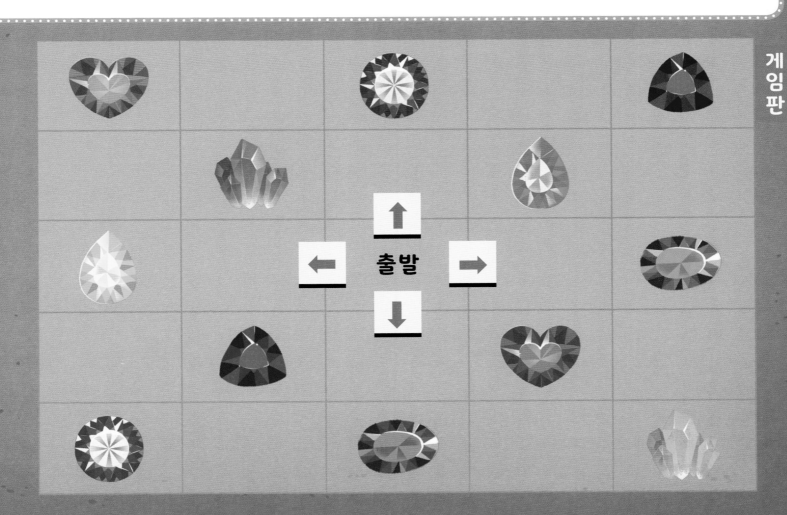

엄마는 선생님!

오른쪽, 왼쪽, 위, 아래 방향을 나타내는 기호의 약속을 이해하고, 기호에 맞게 움직여 위치를 찾을 수 있습니다.

친구들이 **공통점이 있는 조개**를 4개씩 모으려고 해요. 3개씩 모은 조개들에는 어떤 공통점이 있는지 이야기해 보고, 비어 있는 곳에 알맞은 조개를 찾아 붙여 보세요. **붙임딱지 ①**

붙임딱지
붙이는 곳

붙임딱지
붙이는 곳

붙임딱지
붙이는 곳

엄마는
선생님!
분류된 조개들 사이의 공통점을 찾는 활동을 통해 추론 능력과 정보 처리 능력을 기를 수 있습니다.

24 친구들이 스케이트를 타고 있네요. 친구들이 **이야기하는 대로 움직여** 도착한 곳은 어디일까요? 화살표 붙임딱지를 붙여 도착한 곳에 친구들을 붙여 보세요. 붙임딱지 ❷

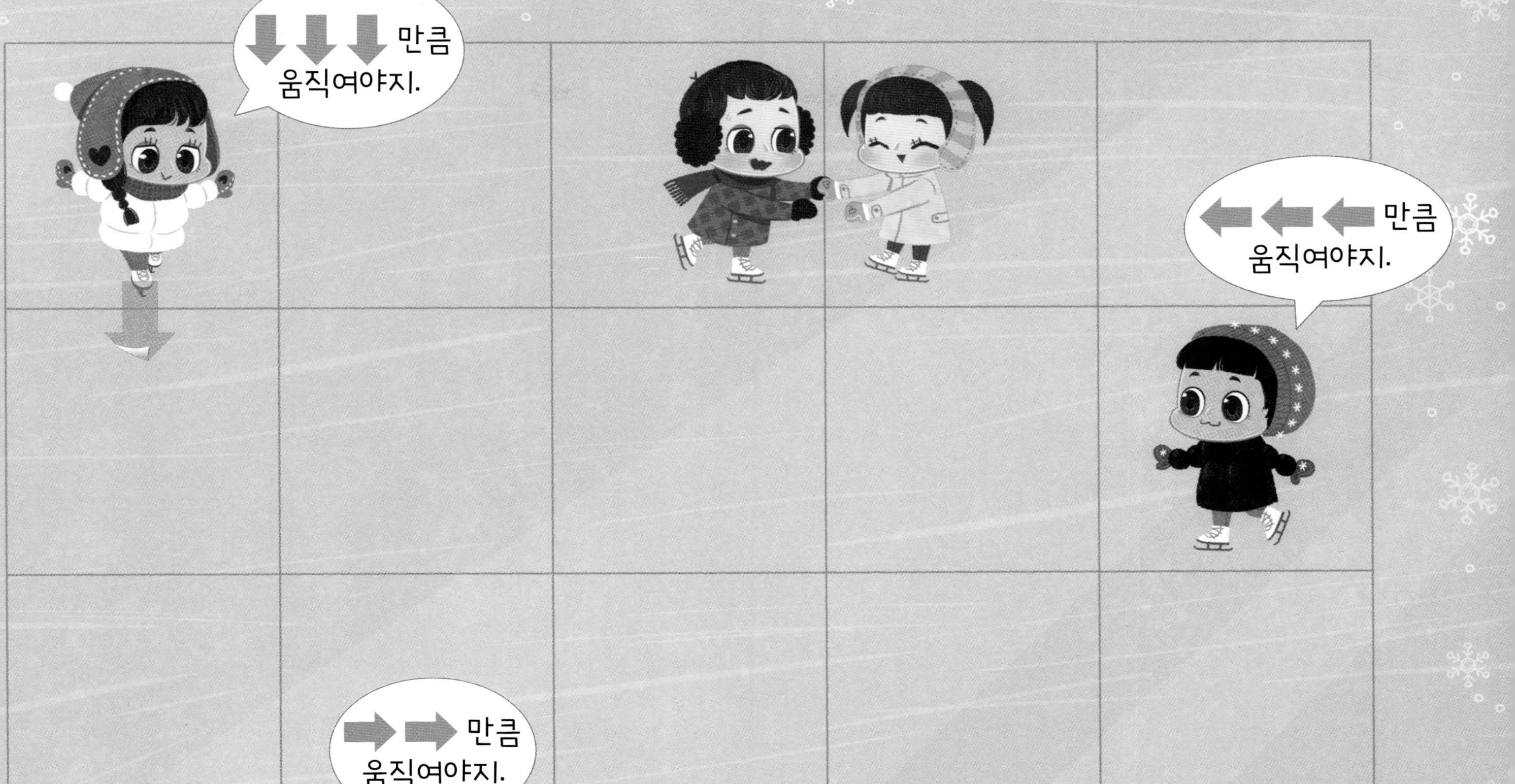

엄마는 선생님!

오른쪽, 왼쪽, 위, 아래 방향을 나타내는 기호의 약속을 이해하고, 기호에 맞게 움직여 위치를 찾을 수 있습니다.

엄마가 들려주는 이야기의 내용에 맞게 그림을 순서대로 붙여 동화책을 완성해 보세요. 활동지 ⑥

하늘을 나는 거북

1 거북이는 하늘 높이 나는 새가 부러웠어요.
어느 날 거북이는 새에게 "나를 높은 곳까지 데려다 줘."
라고 부탁했어요.

2 새는 거북이의 소원을 들어 주기 위해 거북이를 움켜쥐고 높은 곳으로
날아 올라갔어요.

3 거북이는 다리를 빨리 저으면 새처럼 날 수 있을 거라 생각했어요.
거북이는 새에게 "새야! 나를 놓아줘." 라고 말했어요.
새는 거북이를 놓아 주었어요.

4 거북이는 다리를 빨리 저어도 날 수가 없었어요.
결국 거북이는 땅으로 떨어져 등껍질에 금이 갔어요.
그래서 지금도 거북이의 등에는 금이 많이 있어요.

1

활동지 붙이는 곳

2

활동지 붙이는 곳

3

활동지 붙이는 곳

4

활동지 붙이는 곳

엄마는 선생님!

이야기를 주의 깊게 듣고 시간 순서에 맞게 상황을 구성하며 정보 처리 능력을 기를 수 있습니다.

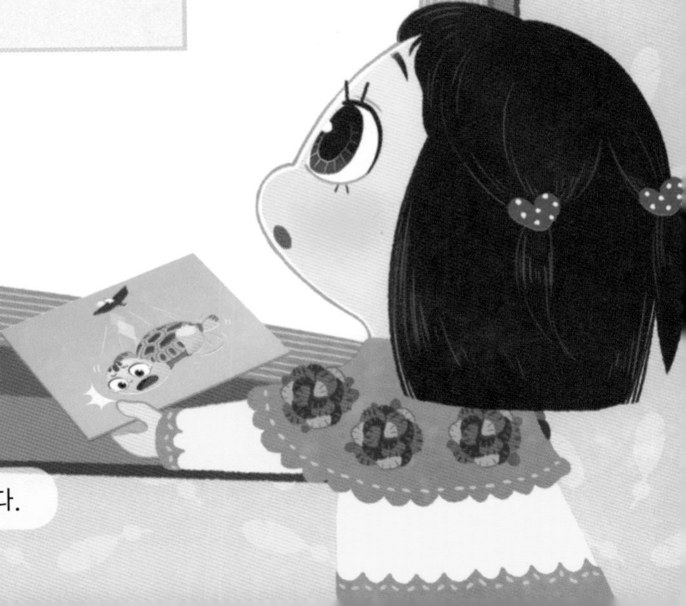

윤주는 다양한 표정과 자세로 사진을 찍었어요. 윤주의 사진으로 **재미있는 놀이**를 해 보세요.

 Let's play! · 활동지 ③ ⑤ ⑥

❶ 얼굴, 몸, 다리가 그려진 카드를 각각 3장씩 나누어 가집니다.

❷ 주사위 2개를 굴려 나온 색깔과 숫자가 있는 사진을 찾습니다.

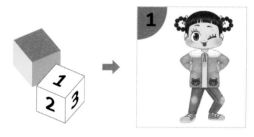

❸ 찾은 사진을 먼저 똑같게 만든 사람이 칩 1개를 가져갑니다.

❹ 가져갈 칩이 없으면 게임이 끝납니다. 칩을 더 많이 가져간 사람이 승리합니다.

4

5

3

1

6

2

친구들이 놀러 온 성에는 마술 거울이 있어요. 각 방의 **마술 거울**은 어떻게 바뀌어 보이는지
이야기해 보고, 노란색 모양에 눈, 입 붙임딱지를 붙여 완성해 보세요. 붙임딱지 ②

28 친구를 만나려고 해요.  ★ , ✿ , ♡ 모양의 순서로 계속 길을 가면 친구를 만날 수 있어요. 친구에게 가는 길을 찾아보세요.

도착

엄마는 선생님!

복잡한 그림 속에서 별(⭐)➡꽃(🌸)➡하트(💗)의 순서를 암송하며 길을 찾는 활동을 통해 집중력을 기를 수 있습니다.

친구들이 꽃밭에 놀러 왔어요. 친구들이 **생각하는 대로 움직이면** 어떤 꽃을 만날까요?
화살표 붙임딱지를 붙여 친구들이 만나는 꽃에 ○표 하세요. 붙임딱지 ②

30

친구들이 꽃밭에 놀러 왔어요. 꽃밭에는 여러 동물들이 있네요. **1가지 동물만 보이도록** 3개의 조각을 올려놓아 보세요.

Let's study! · 활동지 ②

도전 1 새만 보이도록 조각 놓기

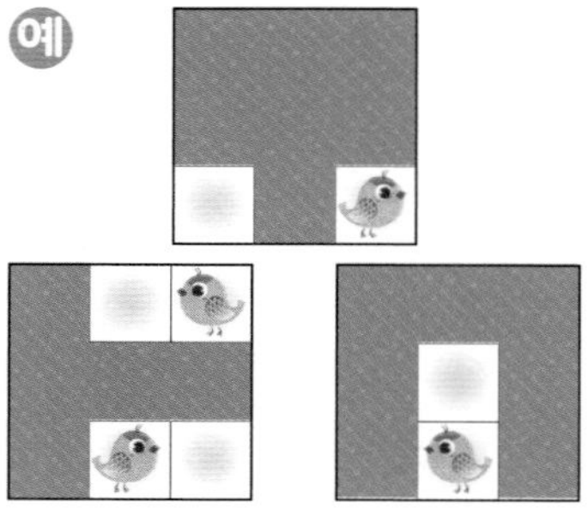

도전 2 나비만 보이도록 조각 놓기

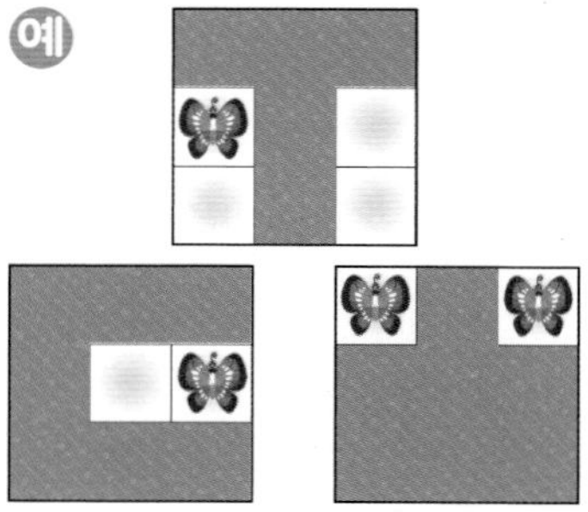

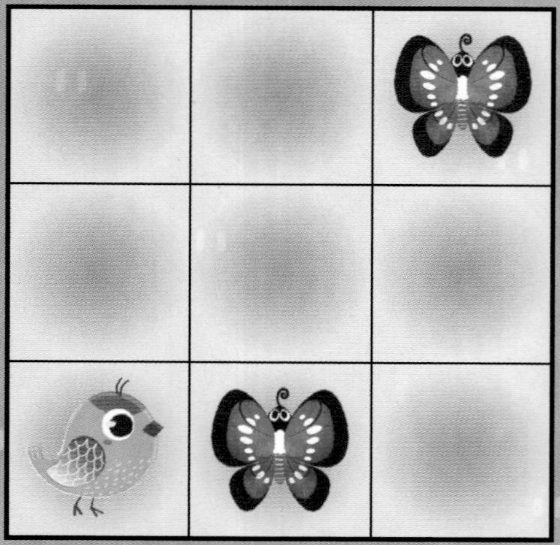

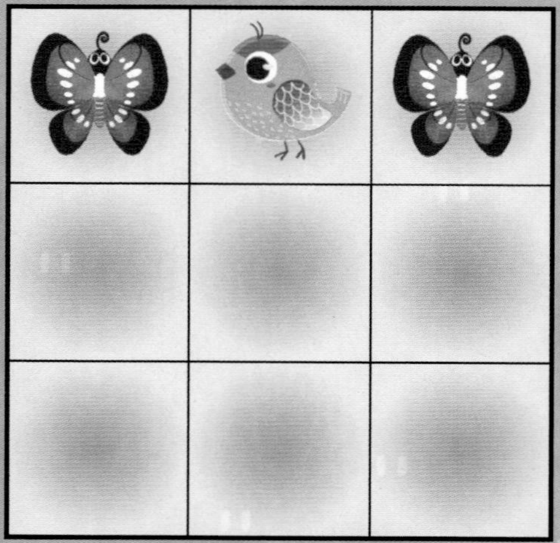

Let's study!　활동지 ②

도전 1 다람쥐만 보이도록 조각 놓기　　도전 2 무당벌레만 보이도록 조각 놓기

조각을 돌려보며 조건에 맞는 그림을 찾는 활동을 통해 공간 감각을 향상시킬 수 있습니다.

MEMO

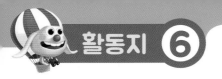

22

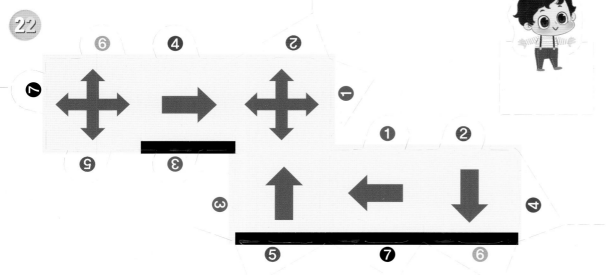

게임말 만드는 방법

접어서 세웁니다.

26

25

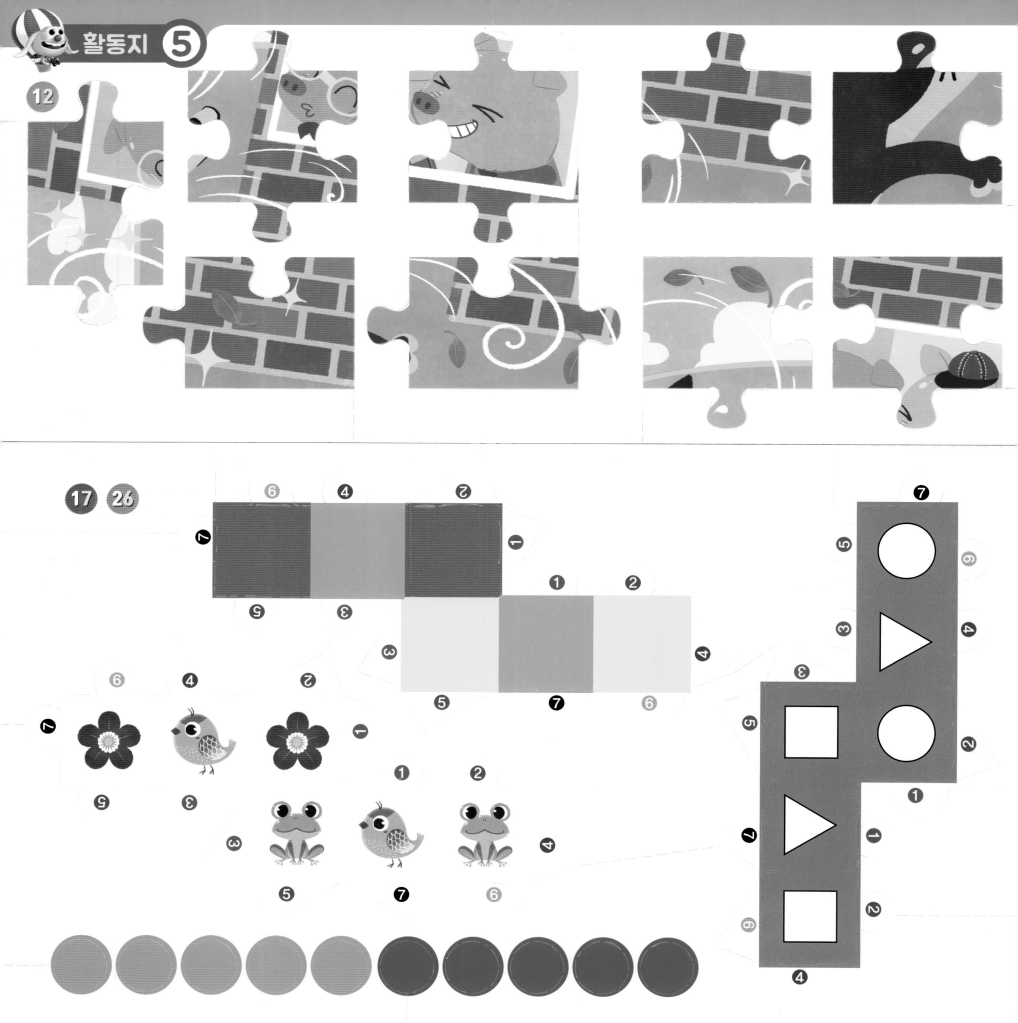

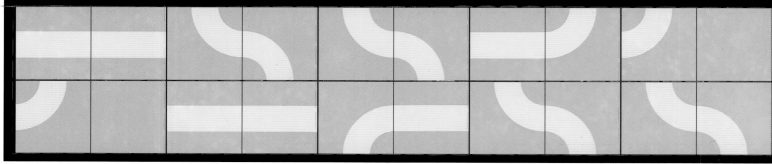

 07

 12

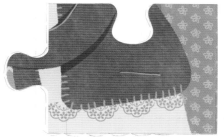

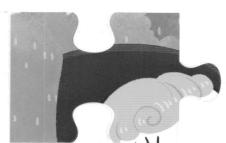

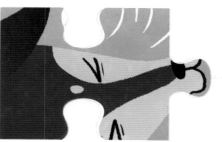

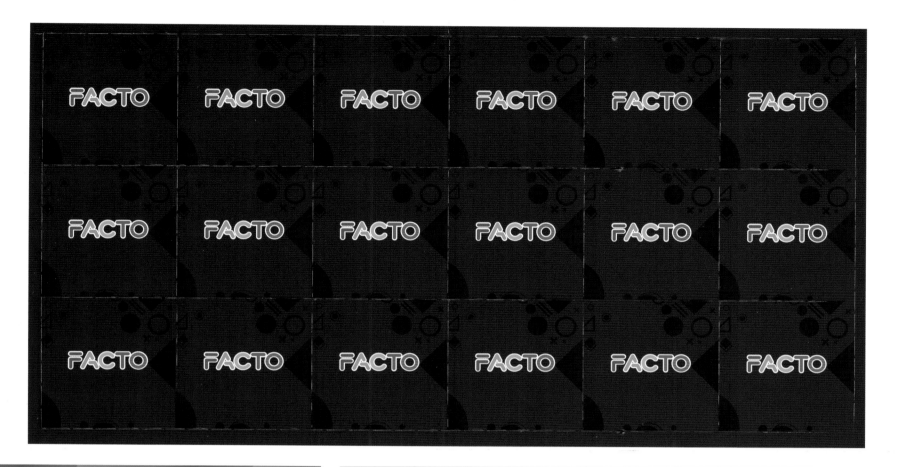
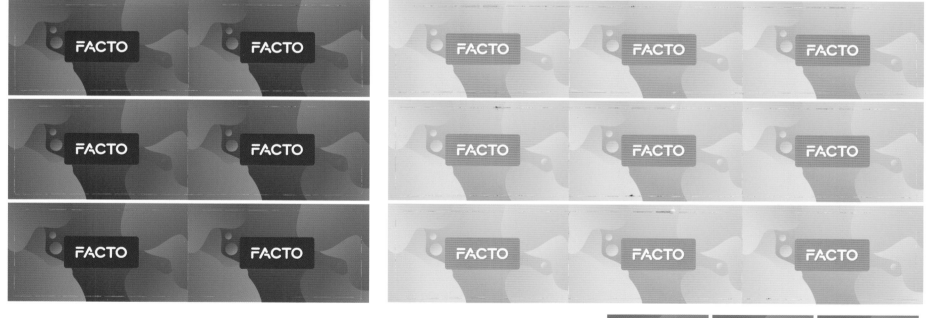

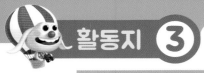

11

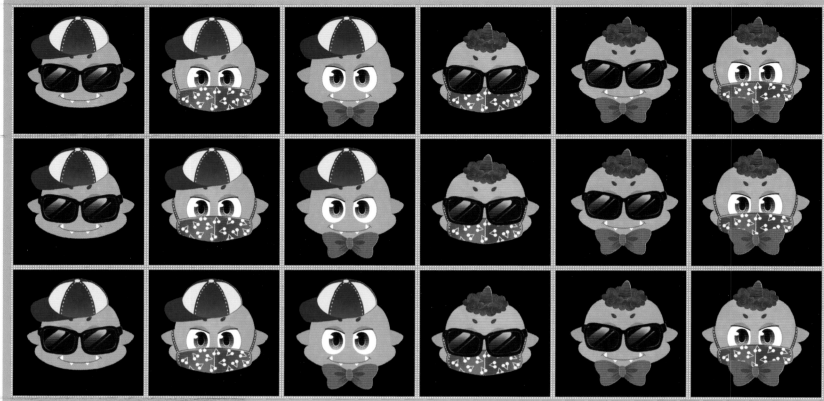

26

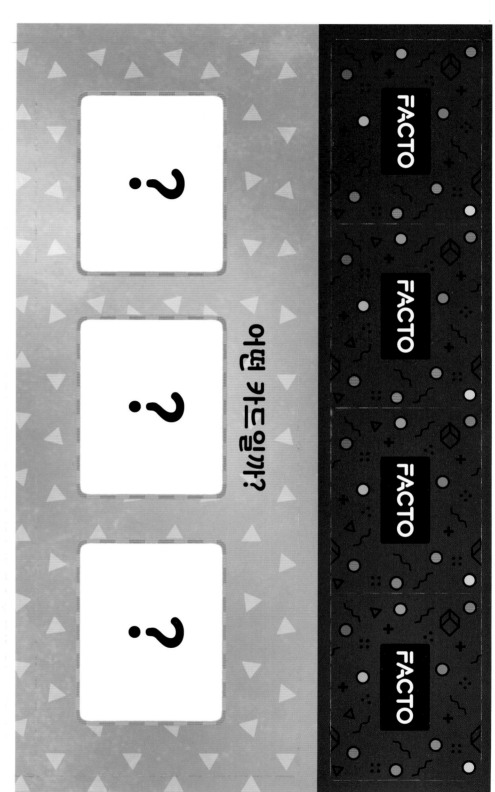

어떤 카드일까?

FACTO
FACTO
FACTO
FACTO

04

어린

사과

곰

신발

어떤 카드일까요?

?

?

30

04

달

가위

수박

나비

 다람쥐	 포도	 샌드위치	 돼지
 자동차	 물고기	 책	 나무
 레몬	 자전거	 축구공	병아리
 원숭이	 고래	 꽃	 비행기
딸기	 연필	 펭귄	 배
 버섯	 코끼리	 가지	 강아지

19

24

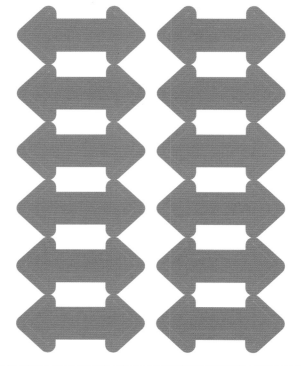

27

● ● ● ● ● ● ● ●

■ ■ ■ ■ ■ ■ ■ ■   ▼▲▼▲▼▲▼▲

29

03

13

08

16

23

풀칠하는 곳

풀칠하는 곳

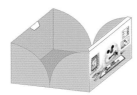

풀칠하는 곳

풀칠하는 곳

매스티안

FACTO

PROBLEM
SOLVING